Gallimard Jeunesse / Giboulées sous la direction de Colline Faure-Poirée

© Gallimard Jeunesse, 1997
ISBN : 2-07-059449-1
Premier dépôt légal : juin 1997
Dépôt légal : avril 2006
Numéro d'édition : 144036
Loi n° 49956 du 16 juillet 1949
sur les publications destinées à la jeunesse
Imprimé en France en avril 2006 par *Partenaires-Book*® (JL)

Pat le Mille-Pattes

Antoon Krings

GALLIMARD JEUNESSE / GiBOULÉES

Êtes-vous sûr que les mille-pattes ont bien 1000 pattes et pas 890 ou 1022 ? Pour ma part, je n'en sais rien, mais comme il est assez ennuyeux de compter autant de petites choses sur les doigts d'une seule main, sans se tromper, je répondrais un grand nombre.

Enfin, de cette multitude de jambes, Pat le mille-pattes était très fier et chaque matin, lorsqu'il partait en promenade, il s'émerveillait de les voir marcher sagement au pas. Pour aller droit devant lui, il lui suffisait de dire «En avant la troupe !» et s'il voulait tourner à droite, d'ajouter «À mon commandement droite !», sur la gauche «À mon commandement gauche !» et ainsi de suite.

Évidemment, avec ce long corps et toutes ces jambes, Pat ne passait pas inaperçu dans le jardin. Il faisait même attraction, suscitant chez ses voisins les commentaires les plus divers.

« Vous vous imaginez, chuchotaient les uns, le temps qu'il lui faudrait pour enfiler un pantalon et quelle étrange forme il aurait. »

«Et si par malheur il venait à se casser des jambes, s'interrogeaient les autres, comment ferait-il pour avancer ?»
Mais notre insecte ne prêtait aucune attention à leurs remarques désobligeantes.

Un jour, Pat s'apprêtait à sortir pour
saluer ses amis et faire un peu
d'exercice quand brusquement, sans
qu'il sache pourquoi, ses nombreuses
pattes se mirent à s'agiter en tapant
du pied sauvagement.
Le pauvre eut beau crier, supplier, rien
ne pouvait les arrêter. Au contraire,
elles couraient dans tous les sens et
l'emportaient dans de terribles rondes
entrecoupées d'épouvantables sauts.

Les jours suivants furent tout aussi remuants. Désormais, les promenades se faisaient à reculons.

« Je ne comprends pas, soupirait-il tristement, mes propres pattes ne m'obéissent plus. Elles n'en font qu'à leur tête. »

Bien évidemment, les voisins commençaient à trouver un tel comportement inquiétant. Certains d'ailleurs ne voulaient plus l'inviter. «Vous comprenez, s'il marche à reculons, il ne se gênera pas pour mettre ses pieds sur la table.
Ce qui est très mal élevé, même chez les insectes.»

La seule solution qu'il trouva pour calmer cette agitation frénétique fut de rester au lit.

Heureusement, Pat recevait encore des visites, celles des amis qui passaient dire bonjour et aussi celles de voisins curieux qui venaient aux nouvelles.

Mais si Huguette la guêpe sonnait
à sa porte, ce n'était ni par curiosité,
ni vraiment pour dire bonjour.
Non, en fait elle venait d'acheter
des magnifiques chaussures bleues et
voulait que tous puissent les admirer.

En voyant briller les chaussures
neuves, les pattes de notre insecte
voulurent y glisser leurs petits pieds.
Il y eut alors une grande confusion,
des battements d'aile et des cris
de guêpe BZZZ BZZZ.

Grâce à Huguette, Pat comprit enfin
de quel mal il souffrait. Ses pattes
lui réclamaient tout simplement des
chaussures.
Simplement, simplement, façon
de parler, parce que chausser mille
pieds n'était pas une tâche facile.

Seulement, avec un peu de ténacité, notre mille-pattes trouva ce qu'il cherchait et à nouveau on pouvait le voir, superbement chaussé, arpenter fièrement les allées du jardin. Cependant, aucun de ses voisins ne s'en aperçut. Les pauvres étaient bien trop occupés à chercher leurs propres chaussures.